LE CAS LAGAFFE

Dépôt légal : avril 1991 D. 1971/0089/112
ISBN 2-8001-0091-5 ISSN 0771-9701

Imprimé en Belgique.

... AH, JE VOIS ! LES BUREAUX SONT PLEINS DE GARS QUI SE TUENT À RÉPARER SES CATASTROPHES ET LUI, LUI, IL PRÉPARE LE CARNAVAL !!!
MAIS ÉCOUTE...

...TU DOIS VOIR LE COSTUME QU'IL A FAIT ! MON VIEUX, C'EST DÉLIRANT !!
GRRRMBLM ...

C'EST UN COSTUME DE MARSUPILAMI... FRANCHEMENT, IL EST BIEN ?
AH, ADORABLE ! ET SI ON DANSE...
CE QUI ME SEMBLE DÉLIRANT, À MOI, C'EST QU'IL SE TROUVE QUELQU'UN POUR DONNER DES SOUS TOUS LES MOIS À CE GARS POUR FAIRE CE GENRE DE TRAVAIL .....

...ET LA QUEUE... VOUS SAVEZ CE QUE C'EST ?... TOUT BÊTEMENT UN TUYAU D'ARROSAGE...
WAAAH
RIONS : HA... HA...

DITES, MOI J'AI FINI... MAINTENANT, JE M'EN VAIS FIGNOLER MA FACTURE, HAHAAA !... JE VOUS SIGNALE QU'IL Y A DE L'EAU...
AH, BON ...

DE L'EAU
TUYAU D'ARROSAGE
DING

GNIHIHIII !

IMAGINE LE SUCCÈS ! J'ENTRERAI, JE FERAI
HOUBA ! HOUBA !
HOP

BOHHH

M'ENFIN ? ! !
WOUAAAH
CE PETIT ANIMAL FAIT DES BONDS EXTRAORDINAIRES !
601

Franquin

COMMENT ?!!
IL L'A ENCORE RÉPARÉ ?!
...ET IL EST ICI
...DANS NOTRE GRENIER !... JE L'AI VU HIER SOIR... MAIS CALME-TOI, J'AI TROUVÉ LE SABOTAGE DÉFINITIF !

JE DÉTESTE FAIRE ÇA, MAIS NOUS AVONS TROP SOUFFERT ...

...PAUVRE GASTON, S'IL SAVAIT CE QUI SE PASSE EN CE MOMENT MÊME !... LE REMORDS ME RONGE... IL N'EST PAS LE SEUL À RONGER, D'AILLEURS...

L'OPÉRATION "NETTOYAGE PAR LE VIDE" EST EN COURS... JE T'EXPLIQUERAI... SACHE DÉJÀ QUE J'AI TROUVÉ PLUS GLOUTON QUE LES ENZYMES ...

AAAH ! SE DIRE QU'ON VA POUVOIR ENFIN TRAVAILLER SANS CRAINDRE UNE...

CATASTRO ?
CRATCH

CRATCH

CRRRIIITCH
CRIIITCH
CRRIIITCH
MAIS ?! IL Y A DES TERMITES ICI !
CRATCH
CRRRIIITCH

DES TER AÏEAÏE AAAÏE !!?
ET MON MAGNIFIQUE INSTRUMENT QUI EST LÀ-HAUT !!

OUF ! INTACT ! EH BIN ! JE PARIE QUE CES BESTIOLES ONT ÉTÉ ÉCOEURÉES PAR LES VERNIS SPÉCIAUX QUE J'AI EMPLOYÉS...
YVES LEBRAC ! RROGNTUDJUUUU, J'AI DEUX MOTS À VOUS DIRE ...

...VEUILLEZ DESCENDRE AVEC MOI DANS MON BUREAU !
603
Franquin MICHEL

BONJOUR, LAGAFFE ! ÇA VA ?...

EH OUI... VOILÀ DEUX SEMAINES QU'IL NE M'ADRESSE PLUS LA PAROLE... DEPUIS QUE J'AI MIS DES TERMITES DANS SON MACHIN À MUSIQUE...
JE VAIS ARRANGER ÇA... PUFPUF... VIENS...

MES P'TITS AMIS, NE PERMETTONS PAS À LA ROGNE ET À LA BOUDERIE DE SAPER LE MORAL DE NOTRE BONNE ÉQUIPE...
OUI ! LAISSONS FAIRE LES TERMITES : ÇA, ÇA SAPE !

...ON DIT QUE JE SUIS GAFFEUR, MAIS LES TERMITES, COMME GAFFE, C'EST GRATINÉ !
D'ACCORD, BON ! LEBRAC DIT QU'IL REGRETTE ...
JE REGRETTE ...

ÉH BIN, IL FAIT BIEN ! PARCE QUE LES TERMITES, C'EST PAS FINI : IL Y EN A ENCORE !
MAISNONMAISNON ! LES SPÉCIALISTES SONT VENUS PULVÉRISER DES INSECTICIDES PARTOUT... JE VOUS ASSURE, GASTON, QUE NOUS POUVONS OUBLIER CET INCIDENT...

...ON FAIT AMI-AMI, ON SE SERRE LA MAIN... LÀÀÀÀ !
WOOOAH, BON...
JE NE LE FERAI PLUS...

AH ! ÇA VAUDRAIT MIEUX ! PARCE QU'IL Y EN A ENCORE, ICI, DES TERMITES !...

SOYEZ PAS TÊTU, LAGAFFE ...
MON VIEUX GASTON, JE SUIS BIEN CONTENT...
IL Y EN A ENCORE

CRATCH

!
!
QUAND JE VOUS DIS QU'IL Y A ENCORE DES TERMITES ...
BOM
605

TRRRRiiiiiiiiiiiii

ET LE SENS GIRATOIRE, HEIN ?... MAIS J'OUVRAIS L'ŒIL, MOI !
VOS PAPIERS

OAH, JE COUPAIS AU COURT POUR NE PAS ÊTRE EN RETARD AU BAL... BIN, ÇA VOUS AURA DONNÉ L'OCCASION DE VOIR MON COSTUME DE MARSUPILAMI... VOILAVOILÀ...

CHERCHEZ TOUT DE MÊME PARMI VOS POILS POUR VOIR SI VOUS AVEZ VOTRE CARTE GRISE !
C'EST FIGNOLÉ, NON ?... VOUS AVEZ VU LA QUEUE ?

ET DE UNE : L'INTERPELLÉ FRAPPE UN AGENT DE LA FORCE PUBLIQUE À L'AIDE DE SON OREILLE...
MAIS JE N'AI PAS FAIT DE POCHES... ALORS, POUR LES PAPIERS...

...L'ANIMAL PRIT UN SENS GIRATOIRE À REBROUSSE-POIL ...
JE VAIS TENTER DE LE DÉRIDER ...
MÊME À LA POLICE ON DOIT CONNAÎTRE CETTE PETITE BÊTE QUI SAUTE... HOUBA HOUBA...
SCRATCH
CRISCRITCH
SCRATCH

HOUBA ...
ÇA VA... VOUS AUREZ DES NOUVELLES... C'EST À CE MOMENT QUE VOUS SAUTEREZ, JE VOUS LE PROMETS ...

DIRE QU'IL Y EN A QUI ONT...
CLAP

...DES TRUCS POUR LES FAIRE SAUTER, LES CONTRAVENTIONS ...
MON SIFFLET ! ATTRAPER MON SIFFLET !

Franquin

STOP! HOOO, HALTE! NE PLUS UTILISER CETTE PORTE-CI AUJOURD'HUI..
?

...VOUS SORTEZ PAR L'ARRIÈRE... EXPÉRIENCE EN COURS!
AÏE!
GRRRMMBLL ...

NONNONNON! LA PORTE PRINCIPALE EST CONDAMNÉE POUR TOUT LE WEEK-END...
SI MONSIEUR GASTON NOUS LE DIT, FAISONS-LUI CONFIANCE...

BON, HÉBIN, JE CROIS QU'IL N'Y A PLUS PERSONNE... PAS DE PROBLÈME...

COMMENT N'Y AI-JE PAS PENSÉ PLUS TÔT?!... IL SUFFIT DE LE RECEVOIR QUAND TOUT LE MONDE A QUITTÉ LES BUREAUX...
CONTRATS

QUOI!?! VOUS ÊTES ENCORE ICI, VOUS!?!
QUOI! TU ES ENCORE ICI, TOI!?!

ATTENTION! NE SORS PAS PAR LA PORTE PRINCIPALE: J'AI INSTALLÉ MON DISPOSITIF ANTI-CAMBRIOLEURS POUR LE WEEK-END...OAH! C'EST SI EFFICACE, QU'IL NE FAUT MÊME PLUS FERMER À CLÉ!
C'EST ÇA BONSOIR ...

OUF! IL EST PARTI... MAIS NOUS AVONS ENCORE FRISÉ LA CATASTROPHE ...

MAIS... MAIS?? QU'ENTEND-IL PAR SON TRUC ANTI-CAMBRIOLEURS ...À LA PORTE PRINCIPALE?!?

CLOP
PCHIIIII

RRAGNH!
GOB

Franquin

CETTE BELLE PIÈCE D'ÉQUIPEMENT, QU'UTILISE MONSIEUR LAGAFFE POUR SON "TRAVAIL DE BUREAU"...

...A SERVI, JUSQU'ICI, À ENFONCER LE TOIT D'UNE VOITURE, À FRACTURER TROIS ORTEILS, À FENDRE DEUX CRÂNES...

...À RAVAGER UN PARQUET, À FAIRE TOMBER QUATRE PLAFONDS, J'ESTIME QUE CETTE BOULE DE BOWLING A RENDU ASSEZ DE SERVICES...

...ET QU'ELLE DOIT QUITTER LES BUREAUX CE SOIR MÊME...
WOUFFH

ET QUE ÇA ROULE, !

HMMMBBLMMH OAHBONMMBLM ...

VOUS L'AVEZ MIS EN BOULE, HIHIHI !... IL DESCEND TOUT SEUL PAR L'ESCALIER...
C'EST PAS BEAU, D'BOUDER...

CINQ ÉTAGES PLUS TARD...
CRAC
OOUP, M'ENFIN !

...BRAVO ! ON N'A QUE FAIRE ICI D'UNE BOULE DE BOWLING DANS LES PIEDS...
JE PARIE QU'IL EST INCAPABLE D'Y JOUER, AU BOWLING...
RRRÔÔ

?
?
?
?
609

Franquin

VOYONS... CE CÔTÉ-CI... LISSE COMME UN MIROIR ...

ET ICI... AU POIL!... EH BIN! C'EST PIMPANT QUAND C'EST BIEN PEINT! ...FAUT DIRE QU'AVEC SIX COUCHES D'ÉMAIL...

AH! UNE PRÉCAUTION! JE CONNAIS LES DISTRAITS QUI COURENT DANS CES BUREAUX...
Peinture Fraîche

AH ZUT! SUPERZUT! UNE MOUCHE! UNE MOUCHE NOIRE DANS MON ÉMAIL BLANC !!!

...ET IL Y EN A D'AUTRES! HÉ LÀ! CES COCHONS D'INSECTES VONT GÂCHER MON BEAU TRAVAIL !!...

LEBRAC! VITE!

DIS, TU AVAIS UNE BOMBE INSECTICIDE, ICI, QUOI?...
RRRAAH!

UN PINCEAU DÉGOÛTANT SUR UN DESSIN DE COUVERTURE QUI M'A PRIS TROIS JOURS, MILLE MILLIONS DE

ZZZZ

PLITCH
PLITCH
Peinture Fraîche
610
Franquin

LAGAFFE, IL ME FAUT PRIMO : LE CLASSEUR N°2, "COURRIER INTERNATIONAL DEUXIÈME SEMESTRE 1969"

AAAAH... LE EUUH... HÉHÉ... AÏE JEJEJE... EUUH, LE CLASSEUR N°2 ?!?
EH BIEN, OUI ! JE NE VOIS LÀ RIEN D'AFFOLANT...

... EUH ... TIENS ! OAAH ! JE VAIS TE FAIRE GOÛTER CECI ... UN HAMBURGER DE MA COMPOSITION ... IL EST TOUT CHAUD ...
BÊÊÊAH ! JE VOUS DEMANDE UN CLASSEUR, ET VOUS ESSAYEZ DE M'EMPOISONNER ?!?

C'EST LOUCHE ! JE VAIS PRENDRE CE CLASSEUR MOI-MÊME...
AÏEAAAH ! NON NON, C'EST MOI !...

QU'EST-CE QUE ÇA VEUT DIRE ?! IL FAUT FRAPPER, MAINTENANT, AVANT D'OUVRIR UN CLASSEUR ?!?
ATTENDS ...
CAFE

UNE SOURIS !
EUH, OUI, C'EST CHEESE, MA SOURIS GRISE ...

EUH... CHEESE A ÉLU DOMICILE DANS CE CLASSEUR... JE N'AI PAS EU LE CŒUR DE...
FAITES VOIR LES LETTRES... RROGNNTUDJUUU !
CAFE

...ET IL ME FAUT LE N° 5 : TOUS LES DOSSIERS DES CONTRATS ! LÀ AUSSI, IL Y A UNE SOURIS ?!?
EUUH... NON !
PAPIER

BON ! SORTEZ-MOI LE CLASSEUR NUMÉRO 5 ! HOP !
LE CLASSEUR N°5 ?! AH, NON !! IMPOSSIBLE...
IMPOSSIBLE ?! ET POURQUOI, S.V.P. ?
HOULÀÀ ! PAS TOUCHER !!...

...PARCE QU'IL EST HABITÉ PAR UN COUPLE ET QU'IL Y A DOUZE PETITS DEPUIS CETTE NUIT !!
611

Franquin

?
?

?
?

!!

!
!!

PFFFOUH ! J'AVAIS ACHETÉ DU POIL À GRATTER POUR FAIRE DES FARCES... ET LA BOÎTE S'EST DÉCHIRÉE DANS MA POCHE ...
612
Franquin

...ILS SONT TOUS GENTILS, MAIS IL Y A L'INSTINCT... JE NE SAIS PAS SI LE CHAT ATTAQUERAIT LA MOUETTE... MAIS IL POURRAIT ATTRAPER LA SOURIS... LA SOURIS, ELLE, NE FERAIT PAS DE MAL AU POISSON ROUGE, MAIS JE ME DEMANDE SI UNE MOUETTE EST CAPABLE DE MANGER UNE SOURIS ...OU DE PÊCHER UN POISSON ROUGE... ET PUIS LES CHATS AIMENT LE POISSON !...

ZZZ

ZZZ
ZZ

HOP
M'ENFMMUHM
LES CORDES

HMMMOUUUHHMOUH

BON!... MERCI... IL EST L'HEURE
JE PEUX RECEVOIR
DE MESMAEKER...

ASSEYEZ-VOUS, DÉTENDEZ-VOUS
...

RRAOW
FCHHH
FFFF
MAOW
FCHHH
MAOW

HIHIHIHAÄR
AH! ÇA VOUS FAIT RIRE!
CONTRATS
614

Franquin

OUAIS ! UN TABLEAU NOIR... CHAQUE MATIN, VOUS INSCRIREZ LA LISTE DES TRAVAUX À FAIRE ...
...FINI DE DIRE : "BIN, J'AI OUBLIÉ"

MAIS C'EST PAS TOTALEMENT IDIOT, ÇA... ADOPTÉ...

QUE SIGNIFIE CE QUE VOUS AVEZ ÉCRIT, LAGAFFE ?!?...
BIN, QU'APRÈS LE BUREAU, JE DOIS PENSER À ACHETER DES HARENGS POUR LA MOUETTE ET UNE BOÎTE DE "MIAOUMIAM" POUR LE CHAT...

JE METTRAI DE L'ORDRE DANS CETTE TÊTE...
SCHTOK

ÉLECTRONIQUE ET PSYCHOLOGIE...
LAGAFFE ! VOUS QUI AIMEZ LES GADGETS ...

...CETTE MÉTHODE MODERNE VOUS AMUSERA... CHAQUE MATIN, VOUS ENREGISTREZ LA LISTE DES TRAVAUX DE LA JOURNÉE... VOUS SUIVEZ LA BANDE POUR NE RIEN OUBLIER... PAS MAL, HMM ? HMM ?
EUH... AAAH, BIN OUI, TIENS...

VOILÀ... COMPOSEZ VOTRE PETIT PROGRAMME, JE VIENDRAI JETER UN COUP D'ŒIL...

AH ! JE VOIS... IL ENREGISTRE !
ZZZZPFFU!!!!
RRRÔÔÔ
ZZZPFFU!!!

JE VOUS FERAI TRAVAILLER, MOI ! ET PAS PLUS TARD QUE DEMAIN, RROGNTUDJUU !
HÉ, HO ! SURVEILLE TON LANGAGE, ÇA ENREGISTRE ...

GASTON, HEUREUX GARÇON ! JE VOUS AI MÂCHÉ LA BESOGNE POUR TOUTE LA JOURNÉE... PLUS DE SOUCIS : C'EST MINUTÉ !

...CHAQUE FOIS QU'UN RÉVEIL SONNE, VOUS COMMENCEZ UN NOUVEAU BOULOT... 'SUFFIT DE LIRE L'ÉTIQUETTE POUR SAVOIR LEQUEL.
AH ! LE PREMIER, CE SONT LES DOUZE CENT VINGT-HUIT LETTRES EN RETARD À CLASSER... BONDISSEZ : VOUS AVEZ UN QUART D'HEURE...
RRRRA!!!!!!!!!NG
TICTAC TACTICTACTIC TICTAC TICTAC TICTAC TICTAC TICTAC TICTAC TICTAC TICTAC TICTAC
615
Franquin

ÇA Y EST, IL A ENCORE VOLÉ !

...AH ! PASSER AU PEIGNE FIN LE SALON DE RÉCEPTION...

IL Y ÉTAIT...!! DANS UN FAUTEUIL !! SI JE N'AVAIS PAS OUVERT L'ŒIL, NOUS AURIONS EU LA MÊME CATASTROPHE QU'IL Y A QUINZE JOURS !!
ALLEZ OUSTE ! AÏAAH !
ROUFROUFROUFF

OUIOUI... MAIS IL SUFFIT QUE JE TOURNE LE DOS, ET ON VOLE LE BON MIAMIAM, HMM !
GASTON, LE CHAT, LA MOUETTE RIEUSE, BON...
FFRRROUT
EN RETARD

TOUS LES ANIMAUX NUISIBLES SONT RÉUNIS... UN TOUR DE CLÉ, TCHAC ! ON EST TRANQUILLES...

...ET CETTE FOIS, PLUS DE CHAT NOIR POUR PORTER MALHEUR AUX CONTRATS !

CHER MONSIEUR DE MESMAEKER, PRENEZ CE FAUTEUIL, C'EST LE PLUS CONFORTABLE...

AÂÂIIIIIIIII
NON !?!

TU VOIS, HEIN, COMME C'EST DANGEREUX, CES ARÊTES DE POISSON !!... PENSE UN PEU QUE TU POURRAIS AVALER UNE DE CES ARÊTES POINTUES, POINTUES... HOOUU !
615

Franquin

ROGNTUDJUU ! J'AVAIS CEPENDANT JURÉ DE NE PLUS ME MORFONDRE SUR LES ROUTES À BORD DE VOTRE MACHINE À COUDRE DE GRAND-MÈRE !!
HÉHÉ, MAIS QUAND LES CHEMINS DE FER SONT EN GRÈVE, ON EST TOUT CONTENT DE TROUVER GASTON, HMUM !...
BEUUHPFF !
GRRÂÂAHCRÂÂH
PAF

...POUR PRENDRE PATIENCE, FAIS COMME MOI, TIENS : PRENDS UN BUBBLE GUM... HMUH...
BAAAH! NON, MERCI !
PET

LAGAFFE, QUAND DONC PERDREZ-VOUS L'HABITUDE DÉTESTABLE DE SOUFFLER BÊTEMENT CES HERNIES MALAPPÉTISSANTES ?!
MHUM BOAH !

...FRANCHEMENT, AU BUREAU TOUT LE MONDE RÂLE, PARCE QU'ON TROUVE DE VOS VIEUX BUBBLE GUMS PARTOUT ...

PHMMUH !
BEUUÊÊH

BON... INUTILE DE VENIR MÂCHER VOTRE GOMME CHEZ LE LIBRAIRE... ON SE RETROUVE...
MHUMM C'EST ÇA... JE SERAI SUR L'ESTACADE, HMUM

VOILÀ QU'ILS PARTENT EN GUERRE CONTRE LE BUBBLE GUM !... SALES CARACTÈRES !...

...POUR CELUI-CI, AU MOINS, PERSONNE NE POUSSERA LES HAUTS CRIS ...

PLUS TARD
HÉHO, CAPITAINE, VIENS VOIR !?... VOILÀ TRENTE ANS QUE JE NAVIGUE, MAIS ÇA, ÇA, 'CONNAIS PAS !

?!
PFFFFFFFFFF
617

Franquin

...JE SUIS CERTAIN DE L'AVOIR MISE ICI... TOUT DE MÊME, ILS POURRAIENT ATTENDRE L'HEURE DU REPAS !...

...ILS ONT VOLÉ LA PLIE !

PLITCH

ROUFROUF
ROUFROUF

DÉSOLÉ, MESSIEURS ! LES EXTRAVAGANCES DE CETTE MAISON DE FOUS NE ME TOUCHENT PLUS ! MOI, ICI, JE FAIS MON TRAVAIL...

... UN POINT, C'EST TOUT ! EN FIN DE COMPTE, CE QUI ME NOURRIT, C'EST CE QUI SORT...

...DE MA MACHINE À ÉCRIRE
?!
CRIIIC
CRIIIC
618

Franquin

J'ENTENDS UN SIFFLEMENT... COMME CELUI D'UNE BOMBE QUI TOMBE ...

TOC

MÊME À PIED ILS CONDUISENT EN ÉTAT D'IVRESSE ...

TONC

TOUNC
?
VROUM

UN COUP DANS MA VOITURE !!

...ET DE MESMAEKER ! CATASTROPHE !
"MIAOUMIAM ROGNTUDJUUU" !
... C'EST LA NOURRITURE POUR CHATS QUE GASTON DONNE À SON MONSTRE !

AAH ! HAHAÂ ! JE SUIS SÛR QUE VOUS VOUS CASSEZ LA TÊTE, TOUS, POUR SAVOIR D'OÙ ÇA VIENT... VOUS NE DEVINEREZ JAMAIS !...

HÉBIN, C'EST MA MOUETTE ! ELLE RAFFOLE DE CET ALIMENT POUR CHATS... HIHIHI ! ALORS, QUAND LE CHAT EST PARTI, ELLE FAIT CE QUE FONT LES OISEAUX DE MER AVEC LES COQUILLAGES ...

...ELLE PREND LES BOÎTES ET LES LAISSE TOMBER DE TRÈS HAUT, POUR QU'ELLES SE CASSENT !... HIHIHI !...

...JE N'AI PAS LE CŒUR DE L'EMPÊCHER : L'INSTINCT, C'EST ADMIRABLE ! FAUT PAS LE CONTRARIER...
LEBRAC ! ATTENTION ! AÏE AÏE
IDÉE : YVAN
619

Franquin

...AH, NON ! NOUS, ON NE VEUT PAS RATER LA FÊTE CHEZ SONIA...
ON PREND UN TAXI ...
M'ENFIN ! VOUS N'ALLEZ PAS ME FAIRE ÇA ?! JE VOUS JURE QUE LA VOITURE MARCHE LE TONNERRE ...

J'AVAIS POURTANT JURÉ DE NE PLUS JAMAIS...
FRANCHEMENT, LES AMIS, VOUS NE SENTEZ RIEN ?
OOOH, SI !! L'ODEUR D'ESSENCE EST PLUS ÉPOUVANTABLE QU'AVANT...
JE NE PARLE PAS DE ÇA, SOT ! VOUS SENTEZ QU'ELLE TIRE MIEUX, NON ?
BOFF ...

PLOP
PLOUP
PFFFF
ELLE TIRE MIEUX, QU'I' DIT !!
RROGNTUDJUU !!

JE JURE SOLENNELLEMENT QUE C'EST LA TOUTE DERNIÈRE FOIS QUE JE...
JE COMPRENDS POURQUOI IL INSISTAIT TANT POUR NOUS PRENDRE !
'VOUS EN FAITES PAS : QUAND NOUS AURONS PASSÉ LE SOMMET, LÀ-HAUT, J'EMBRAYERAI DANS LA DESCENTE, ET ÇA IRA ...

ÇA MARCHE, LES GARS ! JE LE PENSAIS BIEN : C'ÉTAIT UNE CRASSE QUI OBSTRUAIT UN BIDULE...
POUF
PAF
VROM

ROGNTUDJUUU !!
LAGAFFE, RÉPONDS HONNÊTEMENT ! CETTE VOITURE, TU L'AS ACHETÉE À UN CLOWN ?
HÉBIN, ÇA ! C'EST MARRANT !
VROUP

DEMI-TOUR ! VOUS NOUS DÉPOSEZ À LA MAISON ...
'FAUT SE CHANGER ET PRENDRE UN BAIN !
BON, MAIS EN VITESSE... MOI, JE NE VEUX PAS LOUPER L'ANNIVERSAIRE DE SONIA...

LE LENDEMAIN
ON A TOUT ESSAYÉ ! TOUS LES SAVONS, TOUTES LES LESSIVES, LES DÉTERGENTS, LES ENZYMES, L'ESSENCE, L'EAU DE JAVEL
JE VAIS CHERCHER LE REMÈDE... JE TROUVERAI ! MÊME SI ÇA ME PREND DES ANNÉES !

OOOH, MAIS... C'EST EMBÊTANT, ÇA, PFFFHOUUU !

...TU SAIS, JULES, L'ADDITIF QUE J'AVAIS INVENTÉ... OUI, POUR METTRE DANS L'ESSENCE... JE LAISSE TOMBER... ...OH ! SI... MAIS JE CRAINS QUE ÇA N'ENCRASSE LE MOTEUR ...
620
Franquin

CETTE VIE EST INTENABLE... NOUS SOMMES DEVENUS DES PHÉNOMÈNES !
DANS MON QUARTIER ON M'APPELLE L'EXTRATERRESTRE ...
BOAH, ÇA S'ARRANGE... DE JOUR EN JOUR VOUS PÂLISSEZ...

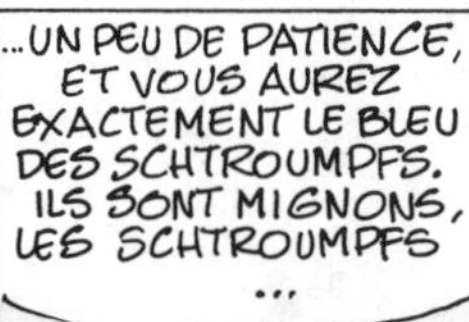

...UN PEU DE PATIENCE, ET VOUS AUREZ EXACTEMENT LE BLEU DES SCHTROUMPFS. ILS SONT MIGNONS, LES SCHTROUMPFS ...

MAIS LAISSE-MOI LUI FAIRE AU MOINS UN ŒIL BLEU !
M'ENFIN

DEVOIR ATTENDRE LA NUIT POUR RETOURNER CHEZ SOI !!!... ET À PIED !!
OUI, PARCE QUE LES CHAUFFEURS DE TAXIS NE VEULENT PAS NOUS PRENDRE, ILS CROIENT QUE C'EST CONTAGIEUX !!
BIN, JE PEUX VOUS RECONDUIRE, MOI...

QUOI ?! DANS VOTRE DIABOLIQUE BAGNOLE ?! JAMAIS !

BON, J'OUVRE LA VOITURE.
PERSONNE POUR NOUS VOIR ?...
C'EST BON POUR UNE FOIS, MAIS C'EST LA DERNIÈRE...

TIENSTIENS ! DES INDIVIDUS SUBREPTICES SORTENT SUSPECTEMENT DES ÉDITIONS MACHIN-CHOSE ...

VITE ! ME CACHER DERRIÈRE ET OUVRIR L'ŒIL POUR ENTENDRE ...
ROGNTUDJUU, ELLE NE PART PAS ?!?
LAGAFFE ! Y A-T-IL ENCORE DE CET ABOMINABLE ADDITIF DANS VOTRE ESSENCE ?
BIN, IL DOIT EN RESTER... MAIS JE N'EN METTRAI PLUS : ÇA OBSTRUE LE CARBU.
CRÂTCHIITCH!!
CRÂTCHIITCH!!

AH ! JE CROIS QUE ÇA SE DÉBOUCHE !
FLOP
VROM

TEUHEUUHRR ! GRRMMBLLL !...

DU TEMPS PERDU POUR LE TRAVAIL UTILE !... OÙ EN ÉTAIS-JE ?

HEP ! VOYEZ PAS QUE C'EST UNE ZONE BLEUE, ICI ??
AAAH ?!
621

Franquin

SALUT LONGTARIN ! JE T'AI RECONNU TOUT DE SUITE..., HAHA !... DIS DONC, TU AS TROUVÉ LE TRUC POUR ÊTRE EN CONGÉ, TOI, HMM !

...JE CROYAIS QUE DEPUIS QUE TU ÉTAIS BLEU, TU T'ÉTAIS MIS AU VERT.
HOHOHAA !
JE MÈNE MON ENQUÊTE POUR PINCER L'INDIVIDU QUI EST PROBABLEMENT RESPONSABLE DE MON ÉTAT...

LE VOILÀ... J'AI MON IDÉE, MAIS FAUDRAIT UNE PREUVE...

L'ÉCHAPPEMENT !! CETTE COULEUR ! C'EST BIEN CE QUE JE PENSAIS !

VITE ! SUIVEZ CETTE VOITURE !
BÉÉÉÉH ! HÉ, HOO, MINUTE !
PEUT-ÊTRE UN DALTONIEN QUI A UNE JAUNISSE...
TAXI

...N'APPROCHEZ PAS ! ÇA A L'AIR CONTAGIEUX. HÉ ! SORTEZ DE MON TAXI, OU J'APPELLE UN AGENT, MOI...
POLICE !
MAIS C'EST CONTAGIEUX, OUI OU NON ?

NON ! EN AVANT ET REGARDEZ DEVANT VOUS...
...PARCE QUE... QUAND IL Y A UN MICROBE, UN TRUC CONTAGIEUX, CRAC, C'EST POUR MOI...
LÀ ! IL EST ARRÊTÉ AU FEU ROUGE ... VITE !
TAXI

HÉ, MINUTE... S'AGIT QU'IL ME PAYE LA COURSE, HO !
TAXI

FLOP
VROUP

PAS CONTAGIEUX, HEIN ?!!
VOIES DE FAIT... AÏE... SUR UN REPRÉSENTANT DE L'ORDRE
HÉ ! SI VOUS N'AVEZ JAMAIS VU DEUX TYPES DANS UNE COLÈRE BLEUE...
622

Franquin

...OUI, JE M'INSTALLE ICI LE TEMPS QU'IL FAUDRA POUR COMPRENDRE D'OÙ PROVIENT LE CHRONIQUE MANQUE D'EFFICACITÉ DE CETTE RÉDACTION ...

POP
POUM
PCHING
POUF
POUF
POUF

QU'EST-CE QUE C'ÉTAIT ?!?
ÇA? OH! RIEN... LE CHAT DE LAGAFFE EST D'HUMEUR JOYEUSE...

HÉ, LES GARS! OUVREZ VOS FENÊTRES: JE VAIS FAIRE UNE EXPÉRIENCE AVEC UN PRODUIT QUI NE SENT PAS BON...

?

THEUHREUHH RÂAH THEUHREUHH!
ALLMM? MM OUMM...MMUH MMUH
?

ÇA VA MIEUX... LE GAZ SE DISSIPE ...

PROTÉGEZ-VOUS, LES GARS! ATTAQUE EN PIQUÉ!
BING

HIHIHIHAARR
ET ÇA?! QU'EST-CE QUE? ...
LA MOUETTE RIEUSE DE LAGAFFE... ELLE A DES ACCÈS DE MAUVAISE HUMEUR ...

BOUM
M'ENFIN?

..C'EST VOUS, MONSIEUR BOULIER, QUI ME DEMANDEZ DE...?!?
OUI, MONSIEUR DUPUIS, JE SUGGÈRE RESPECTUEUSEMENT QUE VOUS ACCORDIEZ UNE AUGMENTATION MASSIVE À CERTAINS MEMBRES DE LA RÉDACTION...
623

Franquin

OAH, VITE, 'MOISELLE JEANNE ! JE VOUDRAIS LE MONTRER À LA RÉUNION ... DUPUIS SERA LÀ D'UN INSTANT À L'AUTRE !...
HIiii ! NE M'AFFOLEZ PAS MONSIEUR GASTON

TU SAIS, MOI, CES RÉUNIONS, PFFFF ...
OUAIS ... C'EST PAS MARRANT ...

OUI, LES GARS ! UNE SURPRISE POUR L'AMI LAMBIL : UN COSTUME DE HOPPY, SON KANGOUROU ...
HEUUUH

WOUAAAAH
SÉRIEUSEMENT, VOUS L'AVIEZ RECONNU ?

... IMAGINEZ LA PUBLICITÉ QU'ON PEUT FAIRE SUR LA VOIE PUBLIQUE ! SI DUPUIS VOIT ÇA, C'EST DANS LA POCHE ! OAH, ELLE EST BONNE !!
HOUHOUAAAH

... ÉVIDEMMENT, FAUT SE METTRE DANS LA PEAU DU PERSONNAGE ...
HOHAA
AH, L'ANIMAL !

AÏIE

... SISI !.. IL Y A UNE EXPLICATION LOGIQUE : IL ÉTAIT RESTÉ UNE AIGUILLE DANS LE COSTUME ... BON ... QUAND TU AS MARCHÉ SUR LA QUEUE, LE TISSU S'EST TENDU ET L'AIGUILLE A PIQUÉ LA PAUVRE BÊTE ...
624

Franquin

DIX MINUTES PLUS TARD...

Franquin

...OUI, MONSIEUR BOULIER. JE VEUX SAVOIR SI L'ARGENT QUE JE DÉPENSE EST JUDICIEUSEMENT EMPLOYÉ
JE VOUS PROMETS UN RAPPORT IMPITOYABLE, MONSIEUR DUPUIS !

S'IL SE DÉCIDE ENFIN À METTRE DE L'ORDRE DANS CETTE MAISON, JE SUIS SON HOMME !

ET JE SAIS PAR **QUI** JE VAIS COMMENCER MES INVESTIGATIONS !

...QUE JE PROUVE QUE J'AI TRAVAILLÉ CETTE SEMAINE ?!! OAH ! VOUS TOMBEZ BIEN ! VENEZ VOIR...

?
... C'EST FAIT SIMPLEMENT, AVEC DES BOÎTES DE CONSERVES. MAIS VOUS N'IMAGINEZ PAS LE TEMPS QUE PEUT PRENDRE LA MISE AU POINT !

ON MET LE TABAC ICI. ...EN DESSOUS, IL Y A UNE RÉSISTANCE QUE J'ALLUME. ... ALORS...

...LE VENTILATEUR DÉMARRE ... VOUS VOYEZ, J'AI PENSÉ À CEUX QUI ONT CESSÉ DE FUMER ET À CEUX QUI NE FUMENT PAS : POURQUOI NE CONNAÎTRAIENT-ILS PAS LE PLAISIR DE FAIRE DES RONDS DE FUMÉE ?!
C'EST INTÉRESSANT...
FFRRRRROO
PUF PUF PUF

JE VOUS MONTRERAIS BIEN TOUTES LES POSSIBILITÉS, MAIS JE DOIS ALLER...
PUF PUF PUF

...NOURRIR LE CHAT ET LA MOUETTE... ET VOUS AVEZ L'AIR DE DIRE QUE JE N'AI RIEN À FAIRE ICI, MOI !?
S'EN VA NOURRIR LE CHAT ET LA MOUETTE ...

OBJET INUTILE ET MONSTRUEUX DONT L'IDÉE N'A PU GERMER QUE DANS LE CERVEAU ABERRANT D'UN SAUVAGE DE LA TECHNIQUE ...
COMMENT CELA FONCTIONNE-T-IL ?

BOULIER ! JE VOUS OBSERVE DEPUIS DEUX MINUTES... UNE CHOSE EST CERTAINE, EN TOUT CAS : L'ARGENT QUE JE VOUS PAYE PART **EN FUMÉE !**
AH ! EUH... BONJOUR, MONSIEUR DUPUIS... JE...
FFRRRRROOO
PUF PUF PUF
626
Franquin

HIHIHIAÂÂR
AÏEAÏEAÏE ! ATTAQUE AÉRIENNE !

ALERTE !! AUX ABRIS !

LEBRAC, 'TENTION, C'EST POUR TOI !
HMM ? QUOI DONC, LES GARS ?

BING
AÏE

AÏEAÏOOUH !
HIHIÂÂR
ROGNTUDJUU ! VOTRE SALE BÊTE...
BEN, C'EST UNE MOUETTE RIEUSE, ELLE FAIT DES FARCES... MAIS VOUS, VOUS N'AVEZ AUCUNE PATIENCE AVEC LES ANIMAUX ...

... SISI ! REGARDEZ BIEN, JE SUIS CERTAIN QU'ELLE M'A BLESSÉ ! ... AÏE !
OHLÀLÀÀÀ ! CE QU'IL EST DOUILLET ! PFFFHOUUUU !

DOUILLET, DOUILLET !?! ÇA FAIT TRÈS MAL, OUI !
... C'EST AFFREUSEMENT POINTU ...
... ET TERRIBLEMENT DUR !
OHÔÔÔ ! FAUT PAS EXAGÉRER... UN PAUVRE PETIT BEC D'OISEAU !

TACTAC TAC
CROUÏC
TACTAC
CROUÏC
627

SCRITCH
CRRRASCRITCH
CRATCHTCRITCH
CRRITCH
CRRRAATCH
CRICRITCH
MAIS! MAIS!!

OUSTE! WAAH MONSTRE!
IL NE S'EST PAS REGARDÉ ...
FROUFROUFROUF

GASTON

...CONTEMPLEZ LE CHEF-D'ŒUVRE DE VOTRE MAUDIT ANIMAL QUI USE SES GRIFFES SUR UN DES TOUT NOUVEAUX FAUTEUILS !!!
ÇA?! BOAAH ...

CHER PRUNELLE! RÉFLÉCHIS DEUX SECONDES... CE FAUTEUIL EST-IL MOINS CONFORTABLE POUR ÇA, HMM? HMM? ALLONS...

RRROGNTUDJUUU! VOUS DIREZ ÇA À MONSIEUR DUPUIS QUI A DONNÉ DES SOUS POUR REDÉCORER, REMOQUETTER, RETAPISSER ET REMEUBLER LE SALON!
IL AURAIT MIEUX FAIT DE ME RÉAUGMENTER ...

...CE CHAT NE FAIT ICI QUE DES CATASTROPHES!
AH, NON! PAS VRAI, ÇA... IL SE REND UTILE, CE CHAT... PARCE QUE JE L'AI DRESSÉ, MOI!

VIENS, MON CHATON! TU VAS LUI MONTRER...

?
AH! EN VOILÀ UNE! TU VOIS, LA MOUCHE, LÀ-HAUT, SUR LE MUR?

HOP! JE NE REGARDE MÊME PAS ...

...IMPOSSIBLE QU'IL EN RATE UNE! MON VIEUX CE CHAT REMPLACE TOUS LES INSECTICIDES CHIMIQUES, SANS EN AVOIR LES INCONVÉNIENTS ...
CRRRAAATCH
628

Franquin

...UN VÉLO PLIANT? PFF! PAS NOUVEAU, ÇA...
CELUI-CI, SI! ET JE LE FAIS BREVETER AUJOURD'HUI MÊME, MEEUSIEUR!

...CAR C'EST LE PREMIER QUI SOIT AUTOMATIQUE! IL Y A DEUX RESSORTS PUISSANTS: UN POUR DÉPLIER...
TANGCLAC

...ET QUAND ON DÉPLIE, ÇA TEND LE SECOND RESSORT QUI EST DÉJÀ PRÊT À REPLIER! ÇA, C'EST PENSÉ!

...RIEN À VISSER, RIEN À SERRER: 'SUFFIT DE TOUCHER UN LEVIER...
DITES, VOUS NE CRAIGNEZ PAS ...

QUE ÇA NE TIENNE PAS LE COUP? ET ÇA... ET ÇA? HOP!...QUOI?
OUI, MAIS SI VOUS ...

BON! CHERCHE BIEN UN DÉFAUT À MON INVENTION ...MOI, JE M'OCCUPE DU BREVET...

CLACTANG
M'ENFIN?

TCHING BING
JE VOULAIS DIRE: SI VOUS ACCROCHEZ LE LEVIER AVEC LE PIED...
AÏE

ÇA S'APPELLE ÊTRE CALÉ EN MÉCANIQUE!
M'ENFIN! POUR... LE MÉCANICIEN, CE N'EST AÏE! PAS PAR ICI! ...
TUTUTTT! D'ABORD, FAIRE BREVETER CE NOUVEAU MOYEN DE LOCOMOTION ...
CLOP TONC
CLOP TONC
CLOP TONC
CLOP
629

AU SIXIÈME...

AU REZ-DE-CHAUSSÉE

AU SIXIÈME

AU REZ...

AU SIXIÈME...

630

Franquin

HO! MÉFIEZ-VOUS DU SURMENAGE! IL N'Y A RIEN DE PLUS DANGEREUX...
SSCHHLUURRGLOTLL

AÏAOUU!
?

ROGNTUDJUU, VOTRE CACTUS...
M'ENFIN! TU FONCES, TU FONCES

...TU VAS FINIR PAR ME L'ABÎMER!
D'OÙ VIENT CE MONSTRE VÉGÉTAL??
IL ÉTAIT DEPUIS TOUJOURS DANS LE HALL, CHEZ TANTE HORTENSE... LUI ET MOI, NOUS AVONS GRANDI ENSEMBLE...
J'AVAIS REMARQUÉ UNE RESSEMBLANCE... MÊME COULEUR ET LES FORMES AUSSI...

EN TOUT CAS, QU'IL RETOURNE D'OÙ IL VIENT...
PAS POSSIBLE: IL EST DEVENU TROP GRAND, TANTE HORTENSE EN A PEUR...
NOUS NE VOULONS PAS DE ÇA ICI!
TU VERRAS... VOUS FINIREZ TOUS PAR VOUS Y ATTACHER...

HÉ! PRUNELLE! OÙ ES-TU?
ON VIENT DE LIVRER LES NOUVEAUX BALLONS PUBLICITAIRES...

PETT
PAF
POUF
PANG
POP

ROGNTUDJUU, VOTRE CACTUS!!
?!
???
631

... JE ME SUIS DONNÉ UN MAL DE CHIEN POUR LE SPÉCIAL ROBA, JE N'AI PAS EU LE TEMPS DE M'OCCUPER DE VOUS... MAIS ATTENDEZ DEMAIN !

... DEMAIN, J'EXPULSE AVEC FRACAS VOTRE ROGNTUDJUU DE CACTUS, LE CHAT DINGUE ET CE CHAMEAU DE MOUETTE RIEUSE !
HIHIHIHÂÂÂR
TOI, TU ME PERSÉCUTES PARCE QUE TU N'AIMES PAS LES ANIMAUX !
ESCHIII

... NONON ! SI D'ICI LÀ VOUS ME PROUVIEZ QU'ILS SONT CAPABLES DE RENDRE **UN** SERVICE AU JOURNAL...
PAS DE DANGER !
... ILS POURRAIENT RESTER **POUR TOUJOURS** ! ... JE VOUS LE JURE DEVANT TÉMOINS !
ON EST TÉMOINS !

LA NUIT...
NE JAMAIS TRAVAILLER QUE DANS DE BONNES MAISONS... "LE JOURNAL DE SPIROU", ÇA DOIT AVOIR DU **COFFRE** ...

... ET PUIS 'FAUT PAS QUE J'OUBLIE LES ALBUMS POUR LES GOSSES... QUAND ILS ONT SU OÙ J'ALLAIS, ILS M'ONT FAIT UNE LISTE ...

ON A BOUGÉ, LÀ !
QU'EST-CE QUI BRILLE ?... DES... DES YEUX ...
ROUF
ROUF

PFFFFCHHH
MARRRAAOWW
PFFFCHH !

FLAP
FLAP
FLAP
HIHIHÂÂR
QU'EST-CE QUE... AAAAH...

LE MATIN...
BON ! NOUS NE DIRONS RIEN À LA POLICE ...
... ET LES GOSSES AURONT LEURS ALBUMS... MAIS POUR VOUS TIRER DE LÀ, MON PAUVRE VIEUX !...
DOU... DOU... CE... MENT...
VOUS ÊTES ICI POUR TOUJOURS !!
632

Franquin

...IL EST LÀ, TOUT JUSTE DERRIÈRE LE COIN: LES GENS TOURNENT, ET VLAN! ILS S'ENVOIENT DANS LE CACTUS!! 'FAUT LE METTRE AILLEURS

...DÉMÉNAGER LE CACTUS AVEC TOI? JAMAIS DE LA VIE! JE NE TOUCHE PAS À ÇA...

AH, MAIS! JE SAIS COMMENT ME DÉBROUILLER TOUT SEUL...

JEANNE! DUPUIS ET LES DIRECTEURS ATTENDENT LES...
JE SAIS, C'EST LUI QUI TÉLÉPHONE...
JE... JE VIENS, MONSIEUR DUPUIS...

MADEMOISELLE JEANNE, ALORS, CES DOSSIERS ??
HIIIIIIII!

...MOI, QUAND ON M'AFFOLE, JE TOURNE EN ROND...

VITE! 'PARAÎT QUE ÇA S'ÉNERVE, À L'ÉTAT-MAJOR!

C'EST FOU CE QU'ON PEUT FAIRE AVEC UNE PAIRE DE VIEUX PATINS À ROULETTES...

BEUUH?!
CRAC

VIIITE, MONSIEUR GASTONNN!
633

ILS M'ONT JURÉ QUE CE... COMMENT? LAGRAFE... LAGAFFE... NE SERAIT PAS DANS LA MAISON... MAIS S'ILS SE PAYENT MA TÊTE ...

?

?

?

?

VOUS ÊTES ARRIVÉ, MONSIEUR DE MESMAEKER !! AÏEAÏEAÏE ! VITE !! COUVREZ-VOUS... CECI... C'EST TOUT CE QUI NOUS RESTE...
MAIS?!

MAIS DITES DONC! QUELLE EST CETTE MASCARADE
NE DISCUTEZ PAS! HOP!

BANDE DE PIQUÉS!
VOUS ALLEZ COMPRENDRE ...
BOM

BING
C'EST À CAUSE DE LA MOUETTE.... DEPUIS CE MATIN, ELLE EST D'UNE HUMEUR MASSACRANTE ...

RIRA BIEN QUI RIRA LE DERNIER!
HIHIHAÂR
SNIF
634

...ET EN PLUS, C'EST JOLI ! VOUS AVEZ FAIT ÇA TRÈS BIEN, 'MOISELLE JEANNE !
OOOH, C'EST VOTRE IDÉE QUI ÉTAIT GÉNIALE, MONSIEUR GASTON !

AAAAH, MOI, JE CONNAIS UN CHATON QUI VA AVOIR UNE SURPRISE, OUIOUI ! DE BELLES PETITES BOTTES DE CUIR SOUPLE...
?

...OFFERTES PAR PAPA, ET COUSUES SUR MESURE.
...PAR MAMAN !

...PERSONNE N'ACCUSERA PLUS LE PAUVRE CHATON D'ABÎMER LES FAUTEUILS ET LES MURS AVEC SES PETITES GRIGRIFFES...
MAIS C'EST LE CHAT BOTTÉ !

HIHI ! REGARDEZ-LE, MONSIEUR GASTON : IL SAUTE DE JOIE !
C'EST UN GROS GÂTÉ, ÇA !

MARRRRÂOW

RRRÂOW MAÂÂOW

HÉBIN ?

ANDOUILLE ! L'ENCRE DE CHINE !!

C'EST ENCORE VOTRE FICHU CHAT !.
AH, NON ! HÉ, HOOO ! MON CHAT NE PEUT PLUS FAIRE DE DÉGÂTS !!
635

Franquin

...C'EST GENTIL À JULES DE ME PRÊTER CE PUZZLE... 2500 PIÈCES ! OAÂH !
'SUFFIT DE PEU DE CHOSE, ET LA VIE AU BUREAU DEVIENT SUPPORTABLE POUR DEUX OU TROIS JOURS...
COULEURS·ÉMAUX LEONARDO

HURMMF
UNE PIÈCE DE PUZZLE ...

HEP! HEP!

...C'EST AU GARS, LÀ, AVEC SA BOÎTE...

CE PAUVRE JEUNE HOMME A PERDU UNE PIÈCE DE SON PUZZLE... JE VAIS ALLER LA LUI RENDRE PARCE QUE C'EST TRISTE, UN PUZZLE AUQUEL IL MANQUE UNE PIÈCE !

HÉHÉHÉÉÉ, DIS DONC, HOOHÉÉ !

HÉ?! GRRMBL DJUU !
ATTENDS ! LE TYPE QUI VIENT DE PASSER PERD TOUT SON PUZZLE ...
OP SPORTS

HÉ, HEPS ! VOUS SEMEZ DES TRUCS.. HO !
C'EST LE PETIT POUCET !

PARDON, J'AI TROUVÉ CECI. IL PARAÎT QUE C'EST ICI QUE...
C'EST AMUSANT, ÇA, MON VIEUX ! ON WEVIENDWA SOUVENT !
GRMM BLOJUU !
PLACEZ-MOI CELLE-CI LÀ... C'EST LE COIN ...
PROCÉDONS AVEC MÉTHODE ...
J'AI FAIT BEAUCOUP DE PUZZLES, MAIS CELUI-CI, IL EST CHINOIS !
HIPS !
ICI ! J'AI LE TOIT DE LA TOUR DU CHÂTEAU...
MAIS QUI A MIS CETTE TÊTE DE VACHE DANS LE SAPIN ?!
?
636
Franquin

...'BIN ! IL ME FAUT BEAUCOUP DE FICELLE PARCE QUE C'EST UN CERF-VOLANT SPÉCIAL : IL MONTE TRÈS, TRÈS, TRÈS HAUT, HOUUULÀÀ !
AH, OUI ? HÉ BIEN, JE VAIS CHERCHER CELUI QUE J'AI CONSTRUIT POUR MON P'TIT FRÈRE CET ÉTÉ ...

ON VA VOIR QUI MONTE LE PLUS HAUT ...
DIS DONC, C'EST VRAI QU'IL EST HAUT, LE SIEN !

RIEN À FAIRE ! CELUI DE LAGAFFE EST PLUS HAUT ...
JE VAIS APPELER TONTON SIMON ... LUI, IL CONSTRUIT DES CERFS-VOLANTS SCIENTIFIQUES ...

PRENDS L'ANÉMOMÈTRE ET DONNE-MOI LA VITESSE DU VENT ...

IL MONTE ... AH, AH ? IL TOMBE ! AÏE ...
CRATCH

JE VOUS ENVOIE MON VOISIN L'INGÉNIEUR : IL EN A INVENTÉ UN, GONFLÉ À L'HÉLIUM ! ÇA, C'EST CHAMPION ...

NON ! GASTON EST TOUJOURS LE PLUS HAUT ...
ET DE LOIN !

HIHI ! 'SONT TOUS PARTIS, ÉCŒURÉS ... LA TECHNIQUE LAGAFFE, C'EST AUTRE CHOSE !

... UNE TECHNIQUE DANS LE VENT, C'EST LE CAS DE LE DIRE ... OAH !

BRAVO ! ÇA VA, TU PEUX LÂCHER LA BAGUETTE ...

ON LES A EUS !
WOUAHAHÂ
HIHIHIÂÂR
637

Franquin

?

?

...SI J'AI UN PERMIS DE CHASSE, MOI?!? AH NON, ALORS! ET POURQUOI FAIRE?

...QUOI? AH, CECI! HÉHOO! NONNONNON! CE N'EST PAS UN STUPIDE FUSIL ...

...C'EST UN ENGIN DE MA FABRICATION... AH? ATTENDEZ... JE VAIS POUVOIR VOUS FAIRE UNE DÉMONSTRATION...

...VOUS VOYEZ LES LAPINS, LÀ?
?

?
TOÏNNC
TOÏNNC
?
?

...OUI, CE SONT DES CAROTTES... À LA PÉRIODE DE LA CHASSE, 'S'AGIT QU'ILS PRENNENT DES FORCES...

...ET PUIS LES CAROTTES, C'EST BON POUR LA VUE: ILS VERRONT VENIR LES CHASSEURS DE LOIN...
!!

?

HÉHOO, CHAT DINGUE ?!

MARRRAOW !

...MAIS SI ! MAIS SI ! JE SUIS RAVI QUE VOUS SOYEZ VENU À L'IMPROVISTE... J'AI DONNÉ DES ORDRES : LES CONTRATS ARRIVENT À GRANDE VITESSE !...

¡¡¡¡¡¡¡¡¡¡?!
CONTRATS

MIARRAAAOW
?!
TROP TARD POUR SIGNER CES CONTRATS ILS SONT RETOURNÉS À L'ÉTAT SAUVAGE !...
CONTRATS
640
Franquin

...VOILÀ BIEN UNE IDÉE DE POÈTE, MONSIEUR GASTON : FAIRE VOLER UN CERF-VOLANT UN SOIR D'AUTOMNE !
BIN ! 'Y A DU VENT...

...VOUS VOYEZ, JE CHERCHE DES FORMES NOUVELLES POUR LES CERFS-VOLANTS ...
HIHI ! GRÂCE À VOUS, JE PARTICIPE À LA SCIENCE !
ATTENTION 1...2...

...3
FLOP

UN PETIT PROBLÈME DE RÉGLAGE ...
OH ! VOUS, MONSIEUR GASTON, VOUS NE VOUS LAISSEZ JAMAIS DÉMONTER ...

BLOP
FLOP

UNE HEURE PLUS TARD
SCHTONC
CRAC

CETTE FOIS-CI, IL EST CASSÉ... C'EST FICHU...
VOUS, VOUS SAVEZ RENONCER, MONSIEUR GASTON...
BIN ! QUAND ÇA NE VEUT PAS VOLER ...

TIENS ! IL COMMENCE À PLEUVOIR...
JE VAIS OUVRIR VOTRE PARAPLUIE, 'M'OISELLE JEANNE ...

M'ENFIN ?! CE VENT...

EH BIEN, VOUS, MONSIEUR GASTON, VOUS NE VOUS AVOUEZ JAMAIS VAINCU !!
'BIN ! QUAND ÇA VEUT VOLER ...
641

Franquin

LAGAFFE!
'N'AVEZ PAS VU LAGAFFE ?? RROGNTUDJUU...

... CE MATIN, JE LUI DIS QUE J'AI DU BOULOT POUR LUI... RÉSULTAT : IL DISPARAIT ... AH ! LE VOILÀ ! LAGAFFE !

LAISSEZ-MOI DEVINER : VOUS AVEZ AVALÉ UN VIBRO-MASSEUR...

...NON, CE N'EST PAS ÇA, ON VERRAIT LE FIL...
VOUS AVEZ ABUSÉ DE CET ALIMENT QUI DONNE DU RESSORT ?
OU BIEN LES CUISSES DE GRENOUILLES ÉTAIENT VRAIMENT TROP FRAÎCHES ?
NON NON NON

'BIN, JE SUIS ALLÉ VOIVOIR MON AMIMI ALPHONSE SUR SONSON CHANTIER... ET IL M'A M'A FAIT ESSAYER CE MACHIN QUIQUI FAIT RACTACTACTACTAC COMMENT ÇA S'APPELLE ? UN MAMARTEAU-PIQUEUR ... QUEUR ... OUI...
PFFOUH ! J'TE J...J'TE J... J'TE JURE, ÇA VIVIVIBRE, BRRR !

...MAIS C'EST PAPAPAS TOUT ÇA ... TUTU... TU M'AS DIT QUIQUI... QU'IL Y A DESDES... DES PAQUETS À FAIRE ... UNE VINGTAINE DE PAPAQUETS TR...TR... TRÈS FRAGILES... DO... DONNE ... JE FONCE...

'LES FERAI MOI-MÊME RROGNTUDJUUU !

HIHIHI ! ÇA A RÉUSSI !!
642

Franquin

Franquin IDÉE

C'ÉTAIT CHEZ BERTRAND, LE PRINTEMPS DERNIER...
JOLIES, CES BOÎTES... MAIS CÔTÉ PRATIQUE, ZÉRO : TOUS LES JOURS, PAR TOUS LES TEMPS, 'FAUT SORTIR DE CHEZ SOI POUR PRENDRE SON COURRIER... ET EN HIVER, PFFF !

CE JOUR-LÀ, IL FIT UNE PROMESSE...
... NOTE QU'ON POURRAIT FACILEMENT... OUI ! JE VOIS D'ICI UN DISPOSITIF... 'BIN TIENS ! JE T'ARRANGERAI ÇA, C'EST PROMIS !

ET CE WEEK-END...
... MAIS SI ! TA BOÎTE AUX LETTRES... JE T'AI PROMIS...

JE ME SUIS RAPPELÉ QUE TU AS UN CHAUFFAGE À AIR PULSÉ... LA TURBINE NOUS FOURNIRA L'ÉNERGIE... ÇA SIMPLIFIE TOUT... TU SAIS SOUDER DES TUBES, AU MOINS ?...
ALLONS-Y, TU M'ABATS CETTE CLOISON ...
EUH... TU CROIS QUE...
... MOI, JE CREUSE LA TRANCHÉE ...

'T'EN FAIS PAS, JE REPLACERAI LES DALLES QUAND LES TUYAUX SERONT ENTERRÉS...

VOILÀ ! INSTALLATION INVISIBLE...
ET HOP ! LE RESTE VA MARCHER RONDEMENT ...

DEUX JOURS PLUS TARD...
DEMAIN, À LA DISTRIBUTION DU MATIN, LE FACTEUR, SANS LE SAVOIR, FERA LE PREMIER ESSAI DE L'ASPIRO-BOÎTE !

MONSIEUR BERTRAND LABEVUE ...

TROP PUISSANT... QUESTION DE RÉGLAGE... TIENS ? TU AS COMMANDÉ UNE VESTE D'UNIFORME ?...
FFCHWIII
DIS, MAIS ?! TU ACHÈTES BEAUCOUP PAR CORRESPONDANCE, TOI !?
AAAEUH ...

SSCHLORP
646
Franquin

...AH, NE M'EN PARLEZ PAS ! QUEL TEMPS ÉPOUVANTABLE !
...UN VRAI TEMPS DE CANARD ...

TEMPS DE CHIEN !
TEMPS DE COCHON ...

VACHE DE TEMPS ...
C'EST UN TEMPS POUR LES ESCARGOTS, ÇA,
ET ENCOWE ! 'FAUT QU'I'SOIENT PAS FWILEUX, MON VIEUX ...

AH...ATCHIAA

PRUNELLE ! HOO ! MON VIEUX, C'EST UN JOUR MAGNIFIQUE POUR LE PROGRÈS !!

...L'HOMME DÉCOUVRE ENFIN QU'IL PEUT EMPORTER AVEC LUI LE CLIMAT DE SON CHOIX ! LE MAUVAIS TEMPS A FAIT SON TEMPS
MON SLOGAN : VICTOIRE SUR L'HIVER !
IL N'Y A PLUS DE SAISONS ...

...MAIS DES RÉGLAGES : JE PLACE LE BOUTON SUR "PLEIN ÉTÉ" ET JE VAIS VIVRE EN SLIP DE BAIN JUSQU'AU SOIR !

... C'EST ÇA ! VOUS RÉVEILLEZ UN PHARMACIEN À MINUIT, EN CETTE SAISON, POUR QU'IL SOIGNE VOTRE
COUP DE SOLEIL, HEIN ?!
HIGNNDIDJ !!! 'TENDEZ, JE DESCENDS .. 'VOUS DONNERAI DES RAISONS DE VOUS SOIGNER, MOI ...
PHARMACIE
648

Franquin.

BUVEZ SLURP
DEMANDEZ LE FLAGAD
RRÂÂÂHRAÂRAH
ZOUF
POUTT
PÈTT
PAF

RÂH RÂH RÂHTAK TAKTAKTAKTAK
CLANG
SCHTOK
CRÔÏNG
?

SCRAÏÏÏ
BONG
CRAC
BOUF
HÉBIN?!

CRRRRONCH
TOUGOUM
TOUGOUM
VROUP
POUTT

TIENS ?!? J'AI EU COMME UN BRUIT DANS LE MOTEUR...
VROUP
PAF
PATAFLOUP

M'ENFIN ?
POUT
POUT

HÉ!!

NON! TIREZ PAS
AAAAH, JE NE PEUX PAS VOIR ÇA!... FAUT FAIRE QUELQUE CHOSE... JE... JE L'ACHÈVE...
PATAFLOP
PATAFLOP
POUT
PÈTT
649

AH ! VOICI LE FESTIN POUR MES DEUX BRIGANDS ...

... MAIS ILS NE L'AURONT PAS AVANT L'HEURE ... D'ICI LÀ, J'AI LE TEMPS DE FAIRE LE PAQUET ...

... LE PAQUET POUR ... EUH ... HOLALAAA ... " INTERNATIONAL PUBLISHING AND GENERAL PRESS UNION FOR FRIC AND FLOUSE CORPORATION " DE NEW YORK ... BIN, MON VIEUX !

GASTONN ...
'VOULEZ VENIR UNE MINUTE ?
HMM ?

SLAP
SLAP

CRRITCH

... ET IMPECCABLE, HEIN, L'ENVOI, LAGAFFE ! L'INTERNATIONAL PUBLISHING, C'EST LA TOUTE GROSSE BOÎTE ...
PFFOUH ! ET ALORS ?

... BIN, TIENS ! JE PARIE QU'À NEW YORK, ILS N'ONT PAS UN GARS CAPABLE DE FAIRE LES PAQUETS COMME JE LES FAIS ...

PLUS TARD .....
QUOI ?! L'INTERNATIONAL PUBLISHING RENVOIE LE COLIS ! ?.. QU'EST-CE QUE ÇA VEUT DIRE ?

" ... VOUS RENVOYONS LES ALBUMS ET LES SIX HARENGS ... NOUS SUPPOSONS QUE CEUX-CI CONSTITUAIENT LE CADEAU DE NOUVEL AN DE VOTRE FIRME. VOUS FAITES VOTRE PUBLICITÉ COMME VOUS L'ENTENDEZ ...
QUANT À NOS RELATIONS, ELLES SE TERMINENT EN QUEUE DE POISSON ... "
650
Franquin 70

FRANCHEMENT, QUE PENSES-TU DE MON ILLUSTRATION ?
AAH ! PAS MAL ... MAIS QUEL EST CET OISEAU, LÀ, À L'AVANT-PLAN ?
BIN ! C'EST LE CHEF INDIEN ....
AH, OUI ! TRÈS EXPRESSIF ...

... AH, SI ! TON FOND BLEU EST SPLENDIDE ... MAGNIFIQUE ! ... MAIS TU VOIS, MOI, À TA PLACE, JE L'AURAIS FAIT ROUGE ...

FLP
FLP
FLP
FLP

BEUÊÊÊÊH !

SCRRRAAC
!

'FAUT AVOUER QUE CERTAINS JOURS, L'HUMEUR DE CETTE "MOUETTE RIEUSE" EST ÉTRANGEMENT CONTAGIEUSE ...

... VOYEZ : NOUS AVONS MODIFIÉ LES ARTICLES TROIS ET SIX CENT VINGT-CINQ COMME VOUS LE DÉSIRIEZ ...

... PAÂÂRFAIT !
LAGAFFE EST À TROIS CENTS KILOMÈTRES D'ICI, LE CHAT EST ENFERMÉ DANS LE PLACARD AVEC DEUX KILOS DE HARENG ...
... JE NE VOIS PAS CE QUI POURRAIT ARRIVER ... SI MON CŒUR TIENT ...
FLP
FLP
FLP
TOTOUM TOTOUM TOTOUM

?!
!

PARDONNEZ-MOI ... MAIS ... RÉFLEXION FAITE, JE NE CROIS PAS QUE CES CONTRATS SOIENT BIEN UTILES ... VOUS VOYEZ, ON CONSACRE SA VIE AUX AFFAIRES, ET UN JOUR ON DÉCOUVRE QU'IL N'Y A RIEN AU MONDE DE PLUS TRISTE ...
OOOH, PFFFOUH ! JE VOUS COMPRENDS ... COMMENT PEUT-ON SE PASSIONNER POUR CES VANITÉS ? ...

HIHIHIÂÂR
651

Franquin

KRRRÂÂKRÂÂÂÂ
OÂÂH ! C'EST ÉPATANT, CES AUTOROUTES !
OUAIS... SI SEULEMENT NOUS AVIONS UNE VOITURE...
TAIS-TOI, SOT ! TU NE TE RENDS PAS COMPTE DE LA MOYENNE QUE NOUS FAISONS...
BÔÔPF...
PETT
POTT
PAF
BURPF

WOOFF

...OUI ! ÇA, C'ÉTAIT UN FOU...
JE TE DISAIS QUE J'AI RÉGLÉ LE MOTEUR MOI-MÊME.. COMMENT TROUVES-TU QU'IL VA ?
BÔÔPF... IL VA DOUCEMENT SUR SES CINQUANTE ANS...
M'ENFIN ! IL N'A JAMAIS AUSSI BIEN TIRÉ...
D'ACCORD, GASTON, MAIS VOUDRIEZ-VOUS ROULER TOUT CONTRE LE BORD DE GAZON ?
COURS EN AVANT PRÉVENIR TOUS LES COPAINS DE GARENNE... C'EST PAS SOUVENT Q'ON EN VOIT UNE AUSSI MARRANTE !...
RRRRÂÂÂÂHRÂÂRÂÂÂH
PAF
POUTT

?
...MERCI... JE VOUDRAIS BIEN NE PAS RATER LES PREMIERS PERCE-NEIGE...
RRRRÂÂÂARRAAARÂÂÂÂHH
PETT
POUF
Franquin
652

Franquin
IDÉE ROBA-FRANQUIN

...AH, OUI ! UNE MERVEILLE DE DRESSAGE !... ET ELLE N'A PAS PEUR ?...
NON, ÇA L'AMUSE... ELLE PREND DES POSES...

HIHI ! ON JURERAIT VOIR UN DE CES ANCIENS BOUCHONS DE RADIATEUR DE STYLE POMPIER...
OUI ! ET J'AI ENTENDU DES GENS QUI PRENAIENT MA VOITURE POUR UNE ROLLS...
123 Z P 75

TRRRRiiiiiiiiii

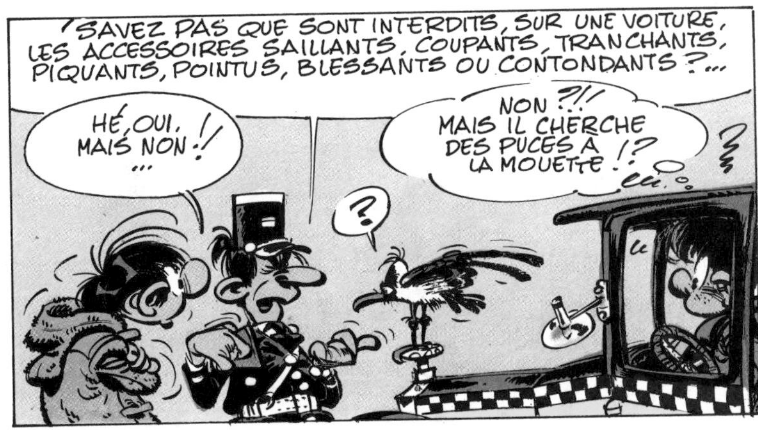
'SAVEZ PAS QUE SONT INTERDITS, SUR UNE VOITURE, LES ACCESSOIRES SAILLANTS, COUPANTS, TRANCHANTS, PIQUANTS, POINTUS, BLESSANTS OU CONTONDANTS ?...
HÉ, OUI, MAIS NON !/ ...
NON ?!! MAIS IL CHERCHE DES PUCES À LA MOUETTE !?
?

M'ENFIN ! CE N'EST PAS UN ACCESSOIRE, C'EST UNE MOUETTE, UNE VRAIE...
PRRRTS ! N'AI PAS À LE SAVOIR...
LES MOUETTES NE SONT PAS INTERDITES DE SÉJOUR, NON ?!...
ESSAYEZ DE COMPRENDRE : C'EST UN GAG...
'JAMAIS VU CE MOT DANS LE CODE...
SCRITCH SCRATCH

EN TOUT CAS, VOTRE GAG, SENTEZ-LUI LA POINTE, ICI ! C'EST PAS PIQUANT, ÇA ? ÇA NE PEUT PAS BLESSER, ÇA, HEIN ? HEIN ?!

AÏE !
AÏE
AÏE
AÏE
AÏE
AÏE

...ET PUIS VOL AVEC VIOLENCES... ET PUIS... ATTENDS... ATTENDS...
HIHIHIAAAR
AH, OUI ! USAGE D'UN AVERTISSEUR DE FANTAISIE ...C'EST INTERDIT...
554

LEBRAC, MON VIEUX.. TU N'IMAGINES PAS LES ÉCONOMIES QU'UN GARS PEUT FAIRE S'IL EST ADROIT EN ÉLECTRONIQUE ...
GRMMH ?
VIENS VOIR !

...AVEC UNE VIEILLE RADIO À LAMPES RÉCUPÉRÉE DANS LE GRENIER DE TANTE HORTENSE ET UNE HORLOGE ÉLECTRIQUE D'OCCASION, J'AI FABRIQUÉ UN GADGET À LA MODE QUI COÛTE DES CENTS ET DES MILLE EN MAGASIN !
AAAH ! UNE NOUVELLE MERVEILLE. DITES, QU'EST-CE ?...

UN ALARM-CLOCK-RADIO, COMME DISENT LES JAPONAIS... IL VOUS RÉVEILLE À L'HEURE QUE VOUS VOULEZ AUX SONS DU PROGRAMME QUE VOUS AVEZ CHOISI À L'AVANCE !
OHHH ! LE TRIOMPHE DU DESIGN !... RAVISSANT SUR UNE TABLE DE NUIT !...

...TIENS : PRUNELLE N'EST PAS LÀ. JE VAIS M'OFFRIR UN PETIT SOMME D'UNE DEMI-HEURE... DEUX RÉGLAGES... ET JE SERAI RÉVEILLÉ À TROIS HEURES PAR DE LA MUSIQUE DOUCE ...
NON ... PRIMO, QUAND TU T'ENDORS, C'EST POUR TOUT L'APRÈS-MIDI ...
CLIC
TAKTAK
BZZZZZZ

...SECUNDO, SI TU CROIS QUE CE... CE... CAFOUILLAZIBULE MAL FICELÉ VA VRAIMENT FONCTIONNER !!
... ON PARIE ? ON PARIE QUE GRÂCE À MON APPAREIL...

...JE SERAI RÉVEILLÉ À TROIS HEURES ?...
TENU ! JE PARIE LE PRIX D'UN RADIO-RÉVEIL, D'UN VRAI ! HA ! HA !

DEUX HEURES CINQUANTE
RRROOO
ZZZPFFF
KLIK
SCHLAK
KRRITCH

DEUX HEURES CINQUANTE-CINQ.
PINPON PINPON
ZZZ ???

...BIN, OUI, QUOI ! J'AI GAGNÉ LE PARI : IL EST TROIS HEURES ET JE SUIS RÉVEILLÉ, NON ?!?
MILLMILLUMM DE MILLMI DJJIIIUUU
CONTRATS
655
Franquin

UN PEU PLUS TARD...

Franquin IDÉE : BIBI

...QUI A ENCORE VOLÉ LES POISSONS AVANT LE REPAS, HEIN ? HEIN ?...AH, VOUS VOUS SAUVEZ, FILOU !...

...INUTILE DE VOUS CACHER, ESCROC ! JE VIENS VOUS CHERCHER, MOI !

EUH... HÉHÉ...

ET VOUS ? REGARDEZ-MOI DANS LE BLANC DES YEUX, JE VERRAI BIEN SI VOUS AVEZ LA CONSCIENCE TRANQUILLE...

AAH... EUUH HELLOOO ...

MMBL GRRMMBL GRMBLMH .....

AÏE !

GASTON, OÙ ÊTES-VOUS ? IL ME FAUT LES LISTES D'ABONNEMENTS A ET C... ELLES SONT DANS VOS TIROIRS ?

AAARRH !
NON... CE N'EST PAS ICI ...

U..U..UTILISEZ VOS ARMOIRES COMME VOUS L'ENTENDEZ... MOI...M...MOI, JE NE METS PLUS JAMAIS LES PIEDS DANS CE BUREAU ...
657

Franquin